中國碑帖名品 [五十八]

顏真卿多寶塔碑

上海書畫出版社

前言

中華文明綿延五千餘年，文字實具第一功。從倉頡造字而雨粟鬼泣的傳説起，歷經華夏子民智慧聚集、薪火相傳，終使漢字生生不息、蔚爲壯觀。伴隨著漢字發展而成長的中國書法，基於漢字象形表意的特性，在一代又一代書寫者的努力之下，最終超越其實用意義，成爲一門世界上其他民族文字無法企及的純藝術，并成爲漢文化的重要元素之一。在中國知識階層看來，書法是中國人『澄懷味象』、寓哲理於詩性的藝術最高表現方式，她净化、提升了人的精神品格，歷來被視爲『道』『器』合一。而事實上，中國書法確實包羅萬象，從孔孟釋道到各家學説，從宇宙自然到社會生活，中華文化的精粹，在其間都得到了種種反映，書法無愧爲中華文化的載體。書法又推動了漢字的發展，篆、隸、草、行、真五體的嬗變和成熟，源於無數書家承前啓後、對漢字美的不懈追求，多樣的書家風格，則愈加顯示出漢字的無窮活力。那些最優秀的『知行合一』的書法家們是中華智慧的實踐者，他們彙成的這條書法之河印證了中華文化的發展。

因此，學習和探求書法藝術，實際上是瞭解中華文化最有效的一個途徑。歷史證明，漢字及其書法衝破了民族文化的隔閡和時空的限制，在世界文明的進程中發生了重要作用。我們堅信，在今後的文明進程中，這一獨特的藝術形式，仍將發揮出巨大的力量。然而，在當代這個社會經濟高速發展、不同文化劇烈碰撞的時期，書法也遭遇前所未有的挑戰，這其間自有種種因素，而漢字書寫的退化，或許是書法之道出現踟躕不前窘狀的重要原因，因此，有識之士深感傳統文化有『迷失』、『式微』之虞。書法藝術的健康發展，有賴對中國文化、藝術真諦更深刻的體認，彙聚更多的力量做更多務實的工作，這是當今從事書法工作的專業人士責無旁貸的重任。

有鑒於此，上海書畫出版社以保存、還原最優秀的書法藝術作品爲目的，承繼五十年出版傳統，出版了這套《中國碑帖名品》叢帖。該叢帖在總結本社不同時段字帖出版的資源和經驗基礎上，更加系統地觀照整個書法史的藝術進程，彙聚歷代尤其是今人對不同書體不同書家作品（包括新出土書迹）的深入研究，以書體遞變爲縱軸，以書家風格爲横綫，遴選了書法史上最優秀的書法作品彙編成一百册，再現了中國書法史的輝煌。

爲了更方便讀者學習與品鑒，本套叢帖在文字疏解、藝術賞評諸方面做了全新的嘗試，使文字記載、釋義的屬性與書法藝術造型、審美的作用相輔相成，進一步拓展字帖的功能。同時，我們精選底本，并充分利用現代高度發展的印刷技術，精心校核，原色印刷，幾同真迹，這必將有益於臨習者更準確地體會與欣賞，以獲得學習的門徑。披覽全帙，思接千載，我們希望通過精心編撰、系統規模的出版工作，能爲當今書法藝術的弘揚和發展，起到綿薄的推進作用，以無愧祖宗留給我們的偉大遺産。

上海書畫出版社

簡介

顔真卿，字清臣，京兆萬年人，祖籍瑯琊臨沂（今山東臨沂）。玄宗開元進士，曾爲平原太守，因有『顔平原』之稱。安史之亂，抗賊有功，入京歷任吏部尚書，太子太師，封魯郡開國公，故又稱『顔魯公』。其書法樸拙雄渾，大氣磅礴，自成一家，稱爲『顔體』。是繼王羲之之後對後世影響最大的書法家。

《多寶塔碑》，全稱《大唐西京千福寺多寶佛塔感應碑文》，岑勳撰文，徐浩隸書題額，顔真卿書碑，史華刻石，唐天寶十一年（七五二）立。原石立於唐長安安定坊千福寺（今西安城西南火燒碑西村附近），後移至西安府儒學，今在西安碑林。碑高二百八十五釐米，寬一百零二釐米，文三十四行，行六十六字。點畫圓整，端莊秀麗，爲顔真卿楷書中上乘之作。

本次選用之本爲上海圖書館所藏明末清初精拓本，曾經杨典誥、陳廷勳遞藏。有吴受福、張鳴珂等題跋，張氏曾將此本定爲『宋拓』，可見其珍。整幅爲朵雲軒所藏，百年前舊拓。均爲首次原色全本影印。

大唐多寶
塔感應碑

大唐西京千福寺多寶佛塔感應碑文

南陽岑勛撰　朝議郎判尚書武部員外郎琅邪顏真卿書　朝散大夫檢校尚書都官郎中東海徐浩題額

粵妙法蓮華，諸佛之秘藏也；多寶佛塔，證經之踴現也。發明資乎十力，弘建在於四依。有禪師法號楚金，姓程，廣平人也。祖父並信著釋門，慶歸法胤。母高氏，久而無姙，夜夢諸佛，覺而有娠，是生龍象之徵，無取熊羆之兆。誕彌厥月，炳然殊相。岐嶷絕於葷茹，髫齔不為童遊。道樹萌牙，聳豫章之楨幹；禪池畎澮，涵巨海之波濤。年甫七歲，居然厭俗，自誓出家。禮藏探經，法華在手。宿命潛悟，如識金環；總持不遺，若注瓶水。九歲落髮，住西京龍興寺，從僧錄也。進具之年，昇座講法。頓收珍藏，異窮子之疾走；直詣寶山，無化城而可息。爾後因靜夜持誦，至多寶塔品，身心泊然，如入禪定。忽見寶塔，宛在目前。釋迦分身，遍滿空界。行勤聖現，業淨感深。悲生悟中，淚下如雨。遂布衣一食，不出戶庭，期滿六年，誓建茲塔。既而許王瓘及居士趙崇、信女普意，善來稽首，咸捨珍財。禪師以為輯莊嚴之因，資爽塏之地，利見千福，默議於心。時千福有懷忍禪師，忽於中夜見有一水，發源龍興，流注千福。清澄泛灩，中有方舟。又見寶塔自空而下。久之乃滅，即今建塔處也。寺內淨人名法相，先於其地，復見燈光，遠望則明，近尋即滅。竊以水流開於法性，舟泛表於慈航，塔現兆於有成，燈明示於無盡。非至德精感，其孰能與於此？及禪師建言，雜然歡愜。負畚荷插，于橐于囊。登登憑憑，是板是築。灑以香水，隱以金鎚。我能竭誠，工乃用壯。禪師每夜於築階所懇志誦經，勵精行道。眾聞天樂，咸嗅異香，喜歎之音，聖凡相半。至天寶元載，創構材木，肇安相輪。禪師理會佛心，感通

帝夢。七月十三日，敕內侍趙思偘求諸寶坊，驗以所夢。入寺見塔，禮問禪師。聖夢有孚，法名惟肖。其日賜錢五十萬、絹千匹，助建修也。則知精一之行，雖先天而不違；純如之心，當後佛之授記。昔漢明永平之日，大化初流；我皇天寶之年，寶塔斯建。同符千古，昭有烈光。於時道俗景附，檀施山積，庀徒度財，功百其倍矣。至二載，敕中使楊順景宣旨，令禪師於花萼樓下迎多寶塔額。遂總僧事，備法儀。宸睠俯臨，額書下降，又賜絹百匹。聖札飛毫，動雲龍之氣象；

天文掛塔，駐日月之光輝。至四載，塔事將就，表請慶齋，歸功帝力。時僧道四部，會逾萬人。有五色雲團輔塔頂，眾盡瞻睹，莫不崩悅。大哉觀佛之光，利用賓于法王。禪師謂同學曰：鵬運滄溟，非雲羅之可頓；心遊寂滅，豈愛網之能加。精進法門，菩薩以自強不息。本期同行，復遂宿心。鑿井見泥，去水不遠；鑽木未熱，得火何階。凡我七僧，聿懷一志，晝夜塔下，誦持法華。香煙不斷，經聲遞續。炯以為常，沒身不替。自三載，每春秋二時，集同行大德四十九人，行法華三昧。尋奉恩旨，許為恆式。前後道場，所感舍利凡三千七十粒。至六載，欲葬舍利，預嚴道場，又降一百八粒。畫普賢變，於筆鋒上聯得一十九粒，莫不圓體自動，浮光瑩然。禪師無我觀身，了空求法，先刺血寫法華經一部、菩薩戒一卷、觀普賢行經一卷，乃取舍利三千粒，盛以石函，兼造自身石影，跪而戴之，同置塔下，表至敬也。使夫舟遷夜壑，無變度門；劫算墨塵，永垂貞範。又奉為

主上及蒼生寫妙法蓮華經一千部、金字三十六部，用鎮寶塔。又寫一千部，散施受持。靈應既多，具如本傳。其載敕內侍吳懷實賜金銅香爐，高一丈五尺，奉表陳謝。

手詔批云：師弘濟之願，感達人天；莊嚴之心，義成因果。則法施財施，信所宜先也。主上握至道之靈符，受如來之法印。非禪師大慧超悟，無以感於宸衷；非

主上至聖文明，無以鑒於誠願。倬彼寶塔，為章梵宮。經始之功，真僧是葺；克成之業，聖主斯崇。爾其為狀也，則岳聳蓮披，雲垂蓋偃。下欻崛以踴地，上亭盈而媚空。中晻晻其靜深，旁赫赫以弘敞。礝碱承陛，琅玕綷檻。玉瑱居楹，銀黃拂戶。重簷疊於畫栱，反宇環其璧璫。坤靈贔屭以負砌，天祇儼雅而翊戶。或復肩挐鷙鳥，肘擐修蛇，冠盤巨龍，帽抱猛獸，勃如戰色，有奭其容。窮繪事之筆精，選朝英之偈讚。若乃開扃鐍，窺奧秘，二尊分座，疑對鷲山；千帙發題，若觀龍藏。金碧炅晃，環珮葳蕤。至於列三乘，分八部，聖徒翕習，佛事森羅。方寸千名，盈尺萬象。大身現小，廣座能卑。須彌之容，欻入芥子；寶蓋之狀，頓覆三千。昔衡岳思大禪師以法華三昧傳悟天台智者，爾來寂寥，罕契真要。法不可以久廢，生我禪師，克嗣其業，繼明二祖，相望百年。夫其法華之教也，開玄關於一念，照圓鏡於十方。指陰界為妙門，驅塵勞為法侶。聚沙能成佛道，合掌已入聖流。三乘教門，總而歸一；八萬法藏，我為最雄。譬猶滿月麗天，螢光列宿；山王映海，蟻垤群峰。嗟乎！三界之沉寐久矣。佛以法華為木鐸，惟我禪師超然深悟。其兒也，岳瀆之秀，冰雪之姿，果脣貝齒，蓮目月面。望之厲，即之溫，覩相未言，而降伏之心已過半矣。同行禪師抱玉、飛錫，襲衡台之祕躅，傳止觀之精義，或名高帝選，或行密眾師。共弘開示之宗，盡契圓常之理。門人苾芻、如巖、靈悟、淨真、真空、法濟等，以定慧為文質，以戒忍為剛柔。含樸玉之光輝，等旃檀之圍繞。夫發行者因，因圓則福廣；起因者相，相遣則慧深。求無為於有為，通解脫於文字。舉事徵理，含毫強名。偈曰：

佛有妙法，比象蓮華。圓頓深入，真淨無瑕。慧通法界，福利恆沙。直至寶所，俱乘大車。其一

於戲上士，發行正勤。緬想寶塔，思弘勝因。圓階已就，層覆初陳。乃昭帝夢，福應天人。其二

輪奐斯崇，為章淨域。真僧草創，聖主增飾。中座眈眈，飛簷翼翼。薦臻靈感，[illegible]我帝力。其三

念彼後學，心滯迷封。昏衢未曉，中道難逢。常驚夜枕，還懼真龍。不有禪伯，誰明大宗。其四

大海吞流，崇山納壤。教門稱頓，慈力能廣。功起聚沙，德成合掌。[illegible]無上。其五

情塵雖雜，性海無漏。定養聖胎，染生迷鷇。斷常起縛，空色同謬。薝蔔現前，餘香何嗅。其六

彤彤法宇，繄我四依。事該理暢，玉粹金輝。慧鏡無垢，慈燈照微。[illegible]歸。其七

天寶十一載歲次壬辰四月乙丑朔廿二日戊戌建

勑檢校塔使正議[illegible]　判官內府丞車冲　檢校僧義方　河南史華刻

【碑陽】

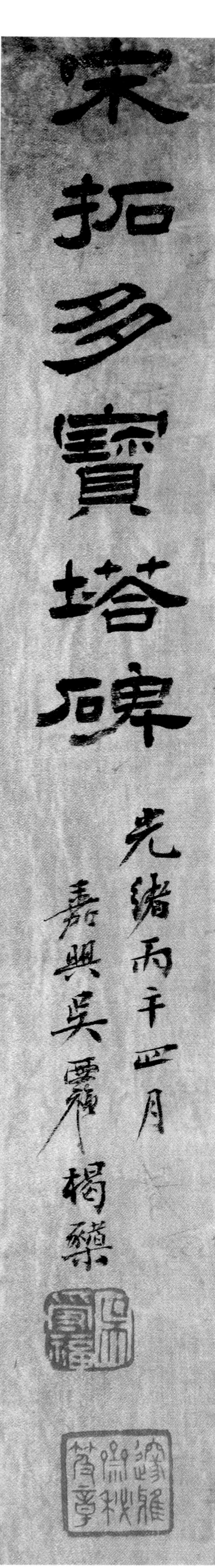

南宋搨魯公書多寶塔碑

邃雅齋珍藏

張鳴珂署

丙午春三月

千福寺：本唐章懷太子宅，咸亨四年（六七三）捨宅立爲寺，大中六年（八五二）改興元寺。清代名鐵塔寺。

感應：靈驗，奇迹，是神明對人事的反響。

岑勛：生平不詳，李白有詩《酬岑勛見尋就元丹丘對酒相待以詩見招》。本碑僅題郡望而無官銜，應是未仕之故。

判：官制用詞，指以高官兼低職者。

武部：即兵部，天寶十一載所改。

大唐西京千福寺多寶佛塔感應碑文。南陽岑勛撰。朝議郎判尚書武部

大唐西京千福寺多寶／佛塔感應碑文。／南陽岑勛撰。／朝議郎、判尚書武部／

員外郎、琅邪顏真卿／書。／朝散大夫、撿挍尚書／都官郎中東海徐浩／

撿挍：亦作『檢校』。官制用語，表示代理。

粤：發語詞，無意義。

妙法蓮華：即《妙法蓮華經》，簡稱《法華經》，七卷，二十八品，姚秦弘始八年鳩摩羅什譯。

秘藏：非凡常所可了知的秘密法門。

多寶佛塔：簡稱『多寶塔』，乃安置多寶如來之塔，此塔之建立，係根據《法華經》卷四《見寶塔品》之説而來。

證經：印證佛經。踴現：突現，顯現。多寶佛和多寶塔，是爲證實《法華經》經義而涌現的。

十力：佛教謂佛所具有的十種力用。

題額

粤妙法蓮華諸佛之秘

藏也多寶佛塔證經之

踴現也發明資乎十力

題額。/粤妙法蓮華，諸佛之秘/藏也；多寶佛塔，證經之/踴現也。發明資乎十力，/

四依：指四種依止之項目。依：依止、依憑之義。經論中約分五類，即法四依、行四依、人四依、說四依、身土四依。

楚金禪師：河北廣平（河北省宛平縣）人，俗姓程。幼移住長安。七歲能誦《法華經》，九歲出家，住長安龍興寺。十八歲即昇座講《法華》義旨。傳見《宋高僧傳》、《佛祖統紀》。

弘建在於四依。有禪師／法号楚金，姓程，廣平人／也。祖、父並信著釋門，慶／歸法胤。母高氏，久而無／

姙：同「妊」。

龍象：龍與象。水行中龍力大，陸行中象力大，故佛氏用以喻諸阿羅漢中修行勇猛有最大能力者。

熊羆：熊和羆。皆爲猛獸。比喻勇士或帝王的賢佐。

岐嶷：兒童六七歲。

姙，夜夢諸佛，覺而有娠，/是生龍象之徵，無取熊/羆之兆。誕弥厥月，炳然/殊相。岐嶷絶於葷茹，髫/

齔不爲童遊。道樹萌牙，/聳豫章之楨幹；禪池畎/澮，涵巨海之波濤。年甫/七歲，居然猒俗，自誓出/

齔不為童遊道樹萌牙
聳豫章之楨幹禪池畎
澮涵巨海之波濤年甫
七歲居然猒俗自誓出

髫齔：幼年。髫：古代小孩頭上扎起來的下垂頭髮。齔：小孩換牙。

道樹：菩提樹。相傳釋迦牟尼在此樹下成道，故稱。

萌牙：同『萌芽』。

豫章：亦作『豫樟』，即樟木。比喻棟梁之材，有才能的人。

畎澮：田間的小水溝。泛指小的水流。

猒：同『厭』。

家禮藏探經法華在手
宿命潛悟如識金環揔
持不遺若注瓶水九歲
落髮住西京龍興寺從

家。禮藏探經，《法華》在手。/宿命潛悟，如識金環；揔/持不遺，若注瓶水。九歲/落髮，住西京龍興寺，從/

識金環：典出《晉書・羊祜傳》：『祜年五歲，時令乳母取所弄金環。乳母曰：「汝先無此物。」祜即詣鄰人李氏東垣桑樹中探得之。主人驚曰：「此吾亡兒所失物也，云何持去？」乳母具言之，李氏悲惋。時人異之，謂李氏子則祜之前身也。』

注瓶水：佛教稱傳法無遺漏，如以此瓶之水傾注入他瓶。

僧錄也。進具之年，昇座／講法。頓收珎藏，異窮子／之疾走；直詣寶山，無化／城而可息。尔後因靜夜／

從僧：又稱伴僧，是隨從住持之僧。籙：薄籍。

進具：佛教徒二十歲由沙彌進爲比丘，受具足戒，稱進具。

窮子疾走：《法華經》七喻之一。三界生死之衆生，譬之無功德法財之窮子。《法華經·信解品》説有一窮子，年幼捨父而逃，至長歸，其父大富，窮子不識，對金銀財寶而不知所取。

化城：幻境。佛教用以比喻小乘境界。佛欲使一切衆生都得到大乘佛果，然恐衆生畏難，先説小乘涅槃，猶如化城，衆生中途暫以止息，進而求取真正佛果。見《法華經·化城喻品》。

《多寶塔品》：原作《見寶塔品》，見《法華經》卷四。

持誦至多寶塔品身心泊然如入禪定忽見寶塔宛在目前釋迦分身遍滿空界行勤聖現業

持誦，至《多寶塔品》，身心／泊然，如入禪定。忽見寶／塔，宛在目前。釋迦分身，／遍滿空界。行勤聖現，業／

淨感深悲生悟中淚下

如雨遂布衣一食不出

戶庭期滿六年誓建茲

塔既而許王瓘及居士

净感深。悲生悟中，淚下／如雨。遂布衣一食，不出／户庭，期滿六年，誓建兹／塔。既而許王瓘及居士／

一食：又名一坐食，即一日只在午前食一餐。

許王瓘：李瓘，許王李素節之子，神龍初封嗣許王。傳見《舊唐書·高宗中宗諸子列傳》。

善來：印度人表達歡迎之意的問候語。

爽塏：高爽乾燥。

趙崇信女普意善来稽
首咸捨珎財禪師以爲
輯莊嚴之因資爽塏之
地利見千福默議於心

趙崇、信女普意，善來稽／首，咸捨珎財。禪師以爲／輯莊嚴之因，資爽塏之／地，利見千福，默議於心。／

時千福有懷忍禪師忽
於中夜見有一水發源
龍興流注千福清澄泛
灧中有方舟又見寶塔

時千福有懷忍禪師，忽／於中夜，見有一水，發源／龍興，流注千福。清澄泛／灧，中有方舟。又見寶塔，／

泛灧：波光閃耀貌。

自空而下久之乃滅即
今建塔處也寺內淨人
名法相先於其地復見
燈光遠望則明近尋即

净人：寺内作雜役的俗人。又稱道人、苦行、寺官，起源於印度。

自空而下，久之乃滅，即/今建塔處也。寺内净人/名法相，先於其地，復見/燈光，遠望則明，近尋即/

滅竊以水流開於法性
舟泛表於慈航塔現兆
於有成燈明示於無盡
非至德精感其孰能與

滅。竊以水流開於法性，／舟泛表於慈航。塔現兆／於有成，燈明示於無盡。／非至德精感，其孰能與／

插：此處同『鍤』，指挖土的鐵鍬。

槖：收藏盔甲弓矢的器具。此處疑是『橐』的訛字。橐：口袋。《詩經·大雅·公劉》：『乃裹餱糧，于橐于囊。』

登登憑憑：象聲詞。表示夯土築基的撞擊聲。《詩經·大雅·緜》：『度之薨薨，築之登登。』唐李白《遠別離》詩：『雷憑憑兮欲吼怒。』

板築：築墻用具。板：夾板；築：杵。築墻時，以兩板相夾，填土於其中，用杵搗實。泛指建築。

鎚：同『錘』。金錘：打墻用的鐵錘。隱：築。《漢書·賈山傳》：『厚築其外，隱以金椎。』

於此及禪師建言雜然
歡愜負畚荷插于槖于
囊登登憑憑是板是築
灑以香水隱以金鎚我

於此。及禪師建言，雜然／歡愜。負畚荷插，于橐于／囊。登登憑憑，是板是築。／灑以香水，隱以金鎚。我／

能竭誠工乃用壯禪師每夜於築階所懇志誦經勵精行道衆聞天樂咸嗅異香喜歎之音聖

能竭誠，工乃用壯。禪師／每夜於築階所，懇志誦／經，勵精行道。衆聞天樂，／咸嗅異香。喜歎之音，聖／

相輪：佛塔上的輪盤形構件，又作承露盤、輪蓋。多與塔的層數相應，爲塔的表相，故稱。

凡相半至天寶元載創
構材木肇安相輪禪師
理會佛心感通
帝夢七月十三日

凡相半。至天寶元載，創/構材木，肇安相輪。禪師/理會佛心，感通/帝夢。七月十三日，/

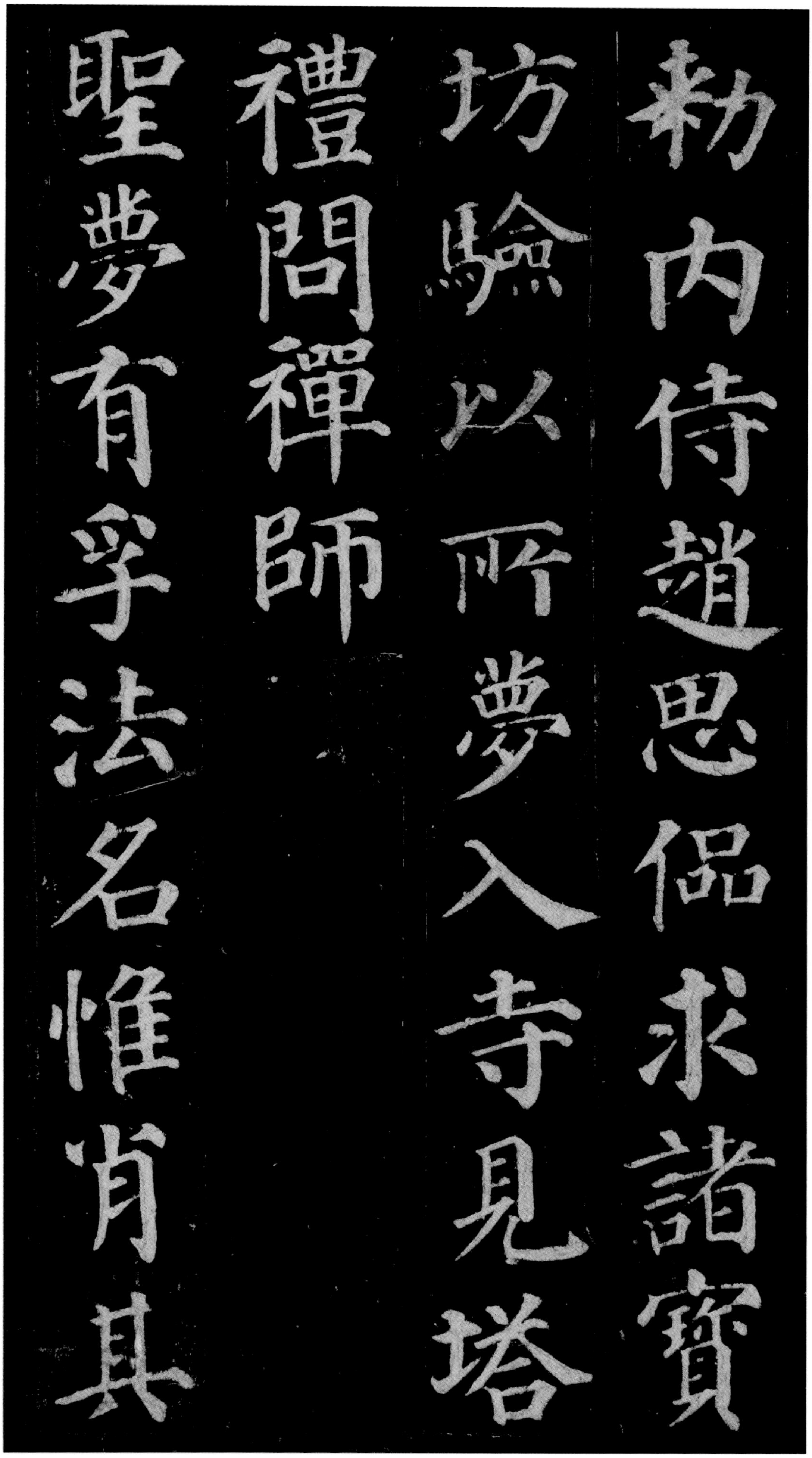

勑內侍趙思侃求諸寶
坊驗以所夢入寺見塔
禮問禪師
聖夢有孚法名惟肖其

勑内侍趙思侃求諸寶／坊，驗以所夢。入寺見塔，／禮問禪師。／聖夢有孚，法名惟肖。其／

孚：相應，符合。此指皇帝的夢得到證實。

法名惟肖：指法名『楚金』中的『金』字與唐玄宗夢中所見相同。《宋高僧傳·唐京師千福寺楚金傳》：『四十入帝夢於九重，玄宗睹法名，下見「金」字，詰朝使問，罔不有孚。』

先天：謂先於天時而行事，有先見之明。

後佛：前佛是指釋迦佛，後佛是指彌勒佛。

授記：梵語的意譯。謂佛對菩薩或發心修行的人給予將來證果成佛的預記。

日賜錢五十萬絹千匹助建修也則知精一之行雖先天而不違純如之心當後佛之授記

日賜錢五十萬，絹千匹，／助建修也。則知精一之／行，雖先天而不違；純／如之心，當後佛之授記。／

大化初流：指東漢明帝永平十年（六七），佛教正式由官方傳入中國。

昔漢明永平之日大化初流我皇天寶之年寶塔斯建同符千古昭有烈光於時道俗

昔漢明永平之日，大化／初流；我皇天寶／之年，寶塔斯建。同符千／古，昭有烈光。於時道俗／

庀徒：聚集工匠、役夫。庀：具備，備辦。

中使：宮中派出的使者。多指宦官。

花萼樓：唐玄宗於興慶宮西南建花萼相輝之樓，簡稱花萼樓。《舊唐書·讓皇帝憲傳》：『玄宗於興慶宮西南置樓，西面題曰花萼相輝之樓……玄宗時登樓，聞諸王音樂之聲，咸召登樓，同榻宴謔，或使幸其第，賜金分帛，厚其歡賞。』

景附檀施山積庀徒度
財功百其倍矣至二載
勑中使楊順景宣
旨令禪師於花萼樓下

景附，檀施山積，庀徒度／財，功百其倍矣。至二載，／勑中使楊順景宣／旨，令禪師於花萼樓下／

迎多寶塔額。遂摠僧事，/備法儀，宸睠俯/臨，額書下降，又賜絹百/疋。聖札飛毫，動/

疋：同『匹』。

雲龍之氣象天文挂塔
駐日月之光輝至四載
塔事將就表請慶齋歸
功帝力時僧道

雲龍之氣象，天文挂塔，/駐日月之光輝。至四載，/塔事將就，表請慶齋，歸/功帝力。時僧道/

四部會逾萬人有五色
雲團輔塔頂衆盡瞻覩
莫不崩悅大哉觀佛之
光利用賓于法王禪師

四部，會逾萬人。有五色／雲團輔塔頂，衆盡瞻覩，／莫不崩悅。大哉觀佛之／光，利用賓于法王。禪師／

四部：佛教四部衆，指比丘、比丘尼、優婆塞、優婆夷。

崩悅：歡騰喜悅。

觀佛：佛教觀想法門之一。詳稱觀佛三昧，又稱念佛。即一心觀想釋迦、彌陀等佛身之相好及功德等。

法王：佛教對釋迦牟尼的尊稱。利用賓於法王：表示一切功德都歸於佛祖。

雲羅：高入雲天的網羅。
頓：停止。引申爲困厄，束縛。

謂同學曰鵬運滄溟非雲羅之可頓心遊寂滅豈愛網之能加精進法門菩薩以自强不息本

謂同學曰：『鵬運滄溟，非／雲羅之可頓；心遊寂滅，／豈愛網之能加。精進法／門，菩薩以自强不息。本／

期同行，復遂宿心。鑿井／見泥，去水不遠；鑽木未／熱，得火何階。凡我七僧，／聿懷一志，晝夜塔下，誦／

期同行復遂宿心鑿井
見泥去水不遠鑽木未
熱得火何階凡我七僧
聿懷一志晝夜塔下誦

七僧：一咒願師、二導師、三唄師、四散花師、五梵音師、六錫杖師、七堂達。泛指所有的僧衆。

聿懷：《詩經·大雅·大明》：『維此文王，小心翼翼，昭事上帝，聿懷多福。』後以『聿懷』爲典，表示篤念之意。聿：語助詞。

同行：又作同伴、同朋。乃同心學佛修道之意。下文『同行禪師抱玉』之『同行』亦同。

持法華香煙不斷經聲遞續炯以爲常没身不替自三載每春秋二時集同行大德四十九人

持《法華》。香煙不斷，經聲／遞續。炯以爲常，没身不／替。』自三載，每春秋二時，／集同行大德四十九人，／

行法華三昧。尋奉/恩旨，許爲恒式。前後道/場，所感舍利凡三千七/十粒；至六載，欲葬舍利，/

法華三昧：佛教術語，四種三昧之一，又名半行半坐三昧。即依據《法華經》與《觀普賢菩薩行法經》所述，以三七日爲期，行道誦經，并諦觀實相中道之理的法門。三昧：意譯爲『正定』。謂屏除雜念，心不散亂，專注一境。佛教四種三昧爲常坐三昧、常行三昧、半行半坐三昧、非行非坐三昧。

預嚴道場又降一百八
粒畫普賢變於筆鋒上
聯得一十九粒莫不圓
體自動浮光瑩然禪師

預嚴道場，又降一百八／粒；畫普賢變，於筆鋒上／聯得一十九粒，莫不圓／體自動，浮光瑩然。禪師／

變：即『經變』，指根據佛經故事所作的繪畫、雕刻或說唱文學，用以宣傳教義。普賢變記普賢菩薩故事。

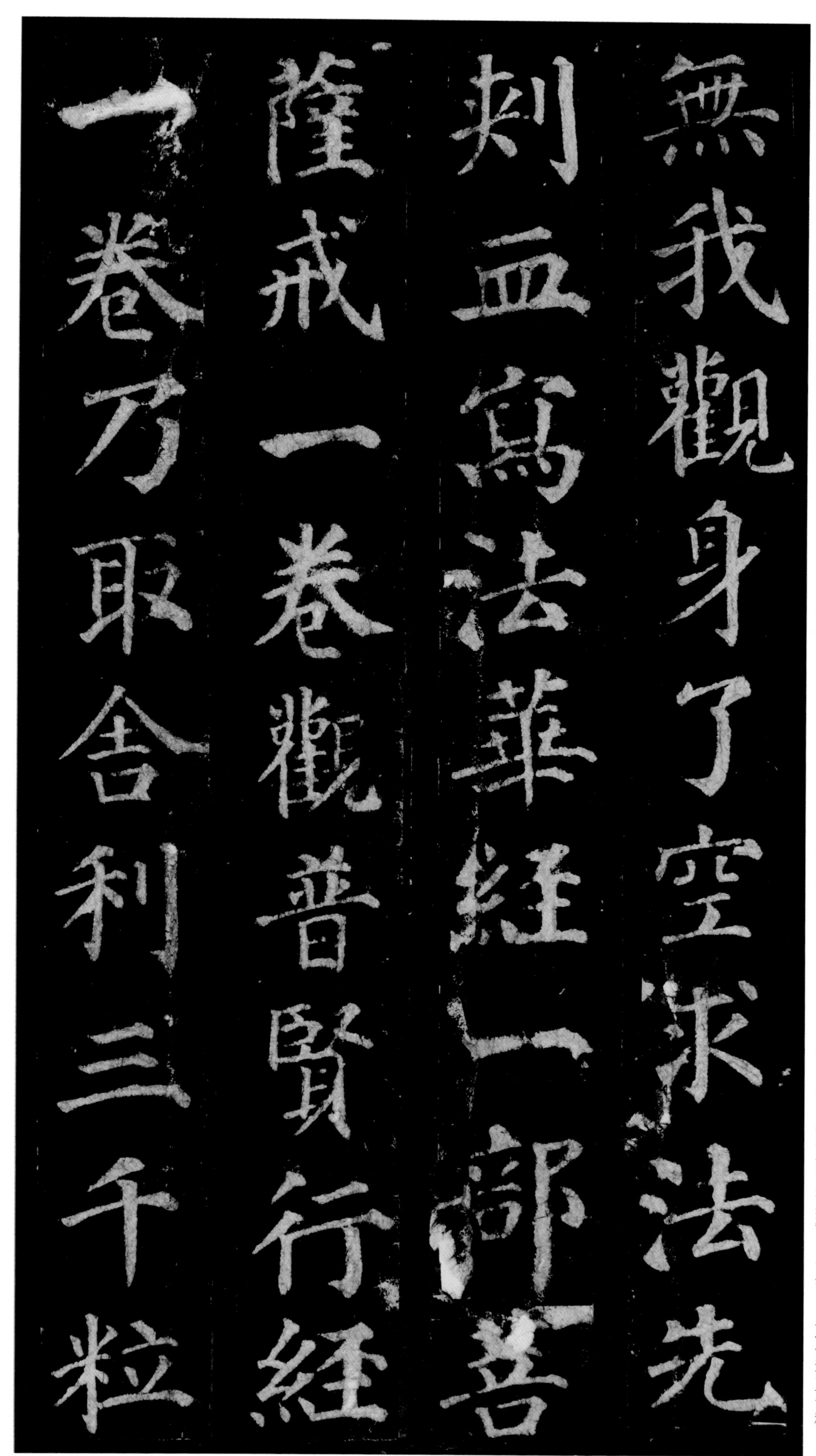

無我觀身，了空求法，先╱剌血寫《法華經》一部、《菩╱薩戒》一卷、《觀普賢行經》╱一卷，乃取舍利三千粒，╱

夜壑：典出《莊子·大宗師》：『夫藏舟於壑，藏山於澤，謂之固矣。然而夜半有力者負之而走，昧者不知也。』比喻事物的變化。

筭：同『算』。

盛以石函兼造自身石

影跪而戴之同置塔下

表至敬也使夫舟遷夜

壑無變度門劫筭墨塵

盛以石函，兼造自身石／影，跪而戴之，同置塔下，／表至敬也。使夫舟遷夜／壑，無變度門；劫筭墨塵，／

永垂貞範又奉為
主上及蒼生寫妙法蓮
華經一千部金字三十
六部用鎮寶塔又寫一

永垂貞範。又奉爲／主上及蒼生寫《妙法蓮／華經》一千部、金字三十／六部，用鎮寶塔。又寫一／

千部散施受持靈應既

多具如本傳其載

勑内侍吴懷實賜金銅

香鑪高一丈五尺奉表

千部，散施受持。靈應既/多，具如本傳。其載，/勑内侍吴懷實賜金銅/香鑪，高一丈五尺，奉表/

陳謝。手詔批云：『師弘濟/之願，感達人天；莊嚴之/心，義成因果。則法施財/施，信所宜先也。』/

陳謝手詔批云師弘濟
之願感達人天莊嚴之
心義成因果則法施財
施信所宜先也

法施：謂宣講佛法，普度衆生。

財施：謂以財物等施與，用以積善。出家人多行法施，在家人多行財施。佛教有『三施』，指財施、法施和無畏施。

法印：判定佛法的標準。主要有三法印：『諸行無常』、『諸法無我』和『涅槃寂靜』。《大智度論》卷二二：『通達無礙者，得佛法印故通達無礙，如得王印則無所留難。』

主上握至道之靈符受
如來之法印非禪師大
慧超悟無以感於
宸衷非主上至聖文明

主上握至道之靈符，受／如來之法印。非禪師大／慧超悟，無以感於／宸衷，非主上至聖文明，／

無以鑒於誠願倬彼寶
塔爲章梵宮經始之功
真僧是葺克成之業
聖主斯崇尒其爲狀也

無以鑒於誠願。倬彼寶/塔，爲章梵宮。經始之功，/真僧是葺；克成之業，/聖主斯崇。尒其爲狀也，/

倬：高大貌。

經始：開始營建。《詩經·大雅·靈台》：『經始靈臺，經之營之。』

則岳聳蓮披雲垂盖偃
下欻崛以踴地上亭盈
而媚空中晻晻其静深
旁赫赫以弘敞礝碱承

則岳聳蓮披，雲垂盖偃。／下欻崛以踴地，上亭盈／而媚空，中晻晻其静深，／旁赫赫以弘敞。礝碱承／

欻崛：忽然崛起，拔地而起。

亭盈：高聳而壯麗。

晻晻：幽暗深邃。

礝：同『碝』。碱：通『砌』。

碝碱：玉石臺階。陛：高臺階。

琅玕：似珠玉的美石。綷：相雜，聚集。檻：欄杆。

玉瑱：美石製作的柱礎。

銀黃：白銀和黃金。

重檐：兩層屋檐。畫栱：彩畫的斗拱。

反宇：屋檐上仰起的瓦頭。璧璫：以玉璧製成的瓦當。

坤靈：大地之神。

贔屓：傳説中的一種動物，像龜。舊時大石碑的石座多雕刻成贔屓形狀，取其能負重之意。引申爲壯猛有力。

天祇：天神。儼雅：恭敬莊重。

陛琅玕綷檻玉瑱居楹
銀黃拂戶重簷疊於畫
栱反宇環其璧璫坤靈
贔屓以負砌天祇儼雅

陛，琅玕綷檻。玉瑱居楹，／銀黃拂户。重簷叠於畫／栱，反宇環其璧璫。坤靈／贔屓以負砌，天祇儼雅／

翊：輔佐。此處表護衛。

挐：通常寫作「挐」、「拏」，今作「拿」。表示拘執。

摯：通「鷙」。鷙鳥，凶猛的鳥，如鷹、雕等。

擐：貫，繞。虵：同「蛇」。

勃如戰色：敬畏的神色。語出《論語·鄉黨》：「勃如戰色，足踧踖，如有循。」

奭：盛。《詩經·小雅·采芑》：「路車有奭。」

而翊戶或復肩挐摯鳥

肘擐脩虵冠盤巨龍帽

抱猛獸勃如戰色有奭

其容窮繪事之筆精選

而翊户。或復肩挐摯鳥，/肘擐脩虵，冠盤巨龍，帽/抱猛獸，勃如戰色，有奭/其容。窮繪事之筆精，選/

朝英之偈贊。若乃開扃/鐍，窺奧秘，二尊分座，疑/對鷲山；千帙發題，若觀/龍藏。金碧炅晃，環珮葳/

扃鐍：門閂、鎖鑰。

二尊：佛教中的二尊通常是指釋迦佛與阿彌陀佛。但多寶塔中多置釋迦佛與多寶佛。多寶佛爲《法華經》中之佛名，係爲證明《法華經》真實義而自地涌出的塔中佛。此佛爲東方寶凈世界的教主，往昔行菩薩道時，立誓在成佛滅度之後，凡十方世界有宣説《法華經》之處，必自地涌現於前，以證明此經的真義。故釋尊説《法華經》時，有七寶塔從地中涌出，聳立於空中，塔内即有多寶如來坐師子座，其全身姿態如入禪定狀。

鷲山：靈鷲山，古印度地名，爲佛祖説法處。

帙：書套。發題：書套外的題簽。

龍藏：龍宫的經藏。指佛家經典。佛經故事相傳龍樹入龍宫贈《華嚴經》。

炅晃：明晃晃。

葳蕤：草木茂盛，枝葉下垂的様子。引申爲華美艷麗貌。

僉習：會聚。

方寸千名：方寸之間奇美不可名狀。

須弥：須弥山，原爲古印度神話中的山名，後爲佛教所采用，指一個小世界的中心。

蕤至於列三乘分八部
聖徒僉習佛事森羅方
寸千名盈尺萬象大身
現小廣座能卑須弥之

蕤。至於列三乘，分八部，/聖徒僉習，佛事森羅。方/寸千名，盈尺萬象。大身/現小，廣座能卑。須弥之/

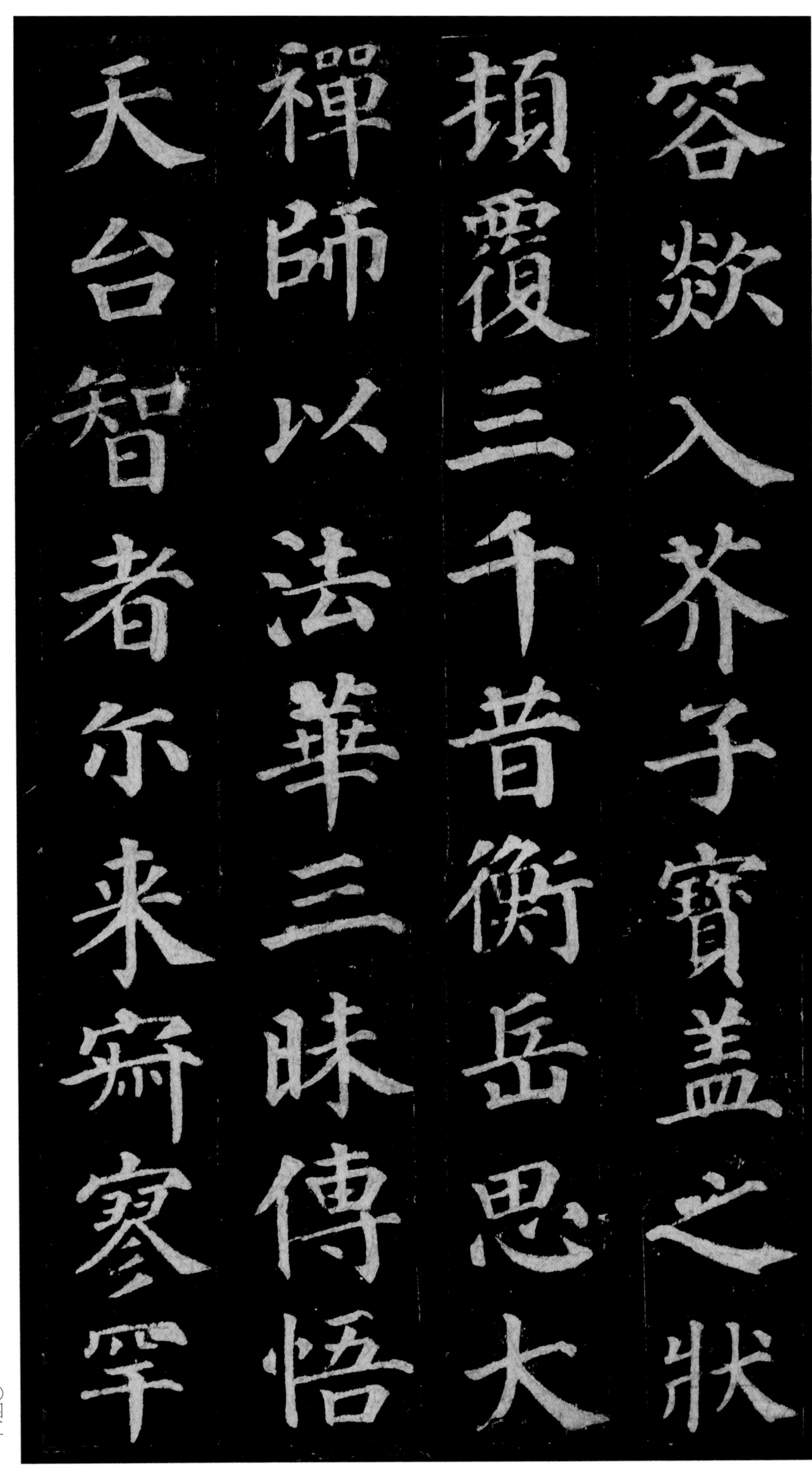

容，欻入芥子；寶盖之狀，／頓覆三千。昔衡岳思大／禪師，以法華三昧，傳悟／天台智者，尔來寂寥，罕／

欻：忽然。芥子：芥菜的種子。納須弥於芥子。

三千：指三千大千世界。以須弥山爲中心，七山八海交繞之，更以鐵圍山爲外郭，是謂一小世界，合一千個小世界爲小千世界，合一千個小千世界爲中千世界，合一千個中千世界爲大千世界，總稱爲三千大千世界。

衡岳思大禪師：即南岳慧思大禪師，北朝高僧。俗姓李，後魏南豫州汝陽郡武津縣（今河南上蔡縣）人。十五歲信仰佛教出家，二十歲受具足戒後嚴守戒律。後游行各州，在光州游化歷時十四年，乃於陳代光大二年帶了徒衆四十餘人前往湖南，入住南岳。爲天台宗三祖，弟子甚多。

天台智者：即天台智者禪師，名智顗，字德安。陳、隋間高僧，佛教天台宗（又稱法華宗）的創立者。俗姓陳，潁川（今河南許昌）人。陳太建七年入天台，建草庵，講經九年，人稱『天台大師』。因隋煬帝楊廣爲晉王時曾賜其號『智者』，故又稱爲『智者大師』。

契真要法不可以久廢
生我禪師克嗣其業繼
明二祖相望百年夫其
法華之教也開玄關於

契真要。法不可以久廢，／生我禪師，克嗣其業，繼／明二祖，相望百年。夫其／法華之教也，開玄關於／

法華之教：佛教法華宗，又稱天台宗。以天台大師智顗爲開祖，以《法華經》教旨爲基礎，判立五時八教之教相，提倡三諦圓融之理，主張依觀心之法，以期『速疾頓成』。

玄關：佛教稱入道的法門。

一念：天台宗的中心理論是『一念三千』和『三諦圓融』。所謂『一念三千』，認爲一心具有十法界，十法界一一互具成百法界。而十法界又各具有三種世間，成三十種世間。依此推算，百法界就具有三千種世間。這三千種世間，都不過是具在介爾（微細）一念心中，謂之『一念三千』。

圓鏡：圓滿。

陰界：指『五陰』與『十八界』。五陰，又稱『五藴』，即色、受、想、行、識。十八界，佛教以人的認識爲中心，對世界一切現象所作的分類。

塵勞：佛教徒謂世俗事務的煩惱。因煩惱能染污心，猶如塵垢之使身心勞憊。

合掌：又作合十。即合并兩掌，集中心思，而恭敬禮拜之意。本爲印度自古所行之禮法，佛教沿用之。

三乘歸一乘：指聲聞、緣覺、菩薩之三乘歸於一佛乘。這是《法華經》主要思想。

一念照圓鏡於十方指
陰界為妙門駈塵勞為
法侶聚沙能成佛道合
掌已入聖流三乘教門

一念，照圓鏡於十方。指／陰界爲妙門，駈塵勞爲／法侶。聚沙能成佛道，合／掌已入聖流。三乘教門，／

總而歸一八萬法藏我
為最雄譬猶滿月麗天
螢光列宿山王映海蟻
垤群峰嗟乎三界之沉

揔而歸一；八萬法藏，我／爲最雄。譬猶滿月麗天，／螢光列宿；山王映海，蟻／垤群峰。嗟呼！三界之沉／

山王：佛教中謂最高的山。

蟻垤：螞蟻窩，蟻穴外隆起的小土堆。

三界：佛教指衆生輪回的欲界、色界和無色界。

寐久矣佛以法華爲木

鐸惟我禪師超然深悟

其皃也岳瀆之秀冰雪

之姿果脣貝齒蓮目月

寐久矣。佛以《法華》爲木／鐸，惟我禪師，超然深悟。／其皃也，岳瀆之秀，冰雪／之姿，果脣貝齒，蓮目月／

木鐸：以木爲舌的大鈴，銅質。古代宣布政教法令時，巡行振鳴以引起衆人注意。

皃：同『貌』。

岳瀆：五岳和四瀆的并稱。

脣：同『唇』。果脣貝齒：唇如紅果，齒如白貝。

蓮目：爲佛及轉輪聖王之應化身所具足三十二相之一。佛眼紺青，猶如青蓮花，故以蓮喻之。又至後世，凡能洞見正邪之眼目，亦稱爲蓮目。

月面：面如滿月。佛教中以形容如來之面。

抱玉：唐肅宗時僧，年二十詣京受戒。時帝夢僧誦《法華經》，口出異光，吴音清亮。翌旦勅誦《法華》僧二百餘人入禁中，視之，非所夢者。其時抱玉方入關，關令問來意，答云：『善誦《蓮經》，特來受戒。』令奏，帝召見曰：『朕所夢者，音容宛若。』賜名大光，封天下上座。居京三年，專一持誦，勅於千福寺行道經四七日，梵音遍滿，常通聖聽。後表乞歸湖州，以官銀增廣寺宇，永貞改元，還寺坐逝，異香三日不消，葬庵側。

飛錫：唐朝僧，生平不詳。通曉儒墨，文筆流暢。初學律儀，後與楚金禪師共同研習天台教觀。唐玄宗天寶初年游長安，依止終南山紫閣峰草堂寺。後奉勅入住千福寺幾近三十年。貞元二十一年七月，撰楚金禪師行狀，刻於《多寶塔碑》碑陰。

衡台：衡山和天台山，此代指慧思和智顗。

躅：足迹。

面望之厲即之温靚相
未言而降伏之心已過
半矣同行禪師抱玉飛
錫襲衡台之秘躅傳止

面。望之厲，即之温，靚相／未言，而降伏之心已過／半矣。同行禪師抱玉、飛／錫，襲衡台之秘躅，傳止／

觀之精義或名高
帝選或行密衆師共弘
開示之宗盡契圓常之
理門人苾蒭如巖靈悟

觀之精義，或名高／帝選，或行密衆師，共弘／開示之宗，盡契圓常之／理。門人苾蒭、如巖、靈悟、／

圓常：謂破除偏執，歸於常道。
旃檀：即檀香。

淨真真空法濟等以定
慧爲文質以戒忍爲剛
柔含朴玉之光輝等旃
檀之圍繞夫發行者因

净真、真空、法濟等，以定／慧爲文質，以戒忍爲剛／柔。含朴玉之光輝，等旃／檀之圍繞。夫發行者因，／

因圓則福廣起因者相
相遺則慧深求無爲於
有爲通解脱於文字舉
事徵理含毫强名偈曰

因圓則福廣，起因者相，/相遺則慧深。求無爲於/有爲，通解脱於文字。舉/事徵理，含毫强名。偈曰：/

相遺：即『遣相』，『遣相』則『無相』。『無相』與『有相』相對，指擺脱世俗之有相認識所得的真如實相。

强名：勉强撰寫此文。按，這一段是解釋立碑的原因。大意是說：佛教本應是無爲的，但無爲體現在有爲之中；佛的思想本來是没有文字可以表述的，但求解脱之道仍須依賴文字。其隱含的意思是說：按照佛教的本義應該是不需立碑的，但要說清這些事理，仍然要借助碑石，所以纔勉强立碑。

偈：梵語『頌』，即佛經中的唱詞。

佛有妙法比象蓮華圓頓深入真淨無瑕慧通法界福利恒沙直至寶所俱乘大車其一於戲上

佛有妙法，比象蓮華。圓／頓深入，真淨無瑕。慧通／法界，福利恒沙。直至寶／所，俱乘大車。其一。於戲上／

圓頓：圓頓宗，即天台宗。圓頓，究竟圓滿之意。

寶所：本謂藏珍寶之所，喻指涅槃，謂自由無礙的境界。

大車：佛教比喻大乘。

戲：同『戲』。於戲：感嘆詞。

上士：佛經中對菩薩的稱呼。泛指高僧。此指楚金禪師。

勝因：善因。

輪奐：形容屋宇高大衆多。

士發行正勤緬想寶塔

思弘勝因圓階已就層

覆初陳乃昭

帝夢福應天人其二

輪奐

士，發行正勤。緬想寶塔，/思弘勝因。圓階已就，層/覆初陳。乃昭/帝夢，福應天人。其二。輪奐/

眈眈：宫室深邃貌。

荐臻：接连到来。《詩經·大雅·雲漢》：『天降喪亂，飢饉荐臻。』

斯崇為章淨域真僧草創聖主增飾中座眈眈飛簷翼翼荐臻靈感歸我帝力

斯崇，爲章浄域。真僧草／創，聖主增飾。中／座眈眈，飛檐翼翼。荐臻／靈感，歸我帝力。／

其三。念彼後學，心滯迷封。／昏衢未曉，中道難逢。常／驚夜枕，還懼真龍。不有／禪伯，誰明大宗。其四。大海／

禪伯：對有道僧人的尊稱。

吞流崇山納壤教門稱頓慈力能廣功起聚沙德成合掌開佛知見法爲無上其五情塵雖雜性

頓教：不歷階梯漸次，直指本源，頓時開悟的教法。

知見：佛教語。知爲意識，見爲眼識，意謂識別事理、判斷疑難。開佛知見：開啓如佛一樣的識别和判斷力。

《法》：此處應是《法華經》的略稱。

吞流，崇山納壤。教門稱∕頓，慈力能廣。功起聚沙，∕德成合掌。開佛知見，《法》∕爲無上。其五。情塵雖雜，性∕

海無漏。定養聖胎，染生／迷鷇。斷常起縛，空色同／謬。薝蔔現前，餘香何嗅。／其六。彤彤法宇，繄我四依。／

性海：指真如之理性深廣如海。

無漏：謂涅槃、菩提和斷絶一切煩惱根源之法。與『有漏』相對。

鷇：初生的小鳥。

斷常：佛教指斷見與常見。起縛：解脱與束縛。

薝蔔：梵語音譯。義譯爲郁金花。花黄色，其香甚，盛花似梔子。

繄：惟，只。

海無漏定養聖胎染生迷鷇斷常起縛空色同謬薝蔔現前餘香何嗅其六彤彤法宇繄我四依

該：周備。

玉粹：像玉一樣的純美。

空王：佛的尊稱。佛說世界一切皆空，故稱『空王』。

事該理暢，玉粹金輝。慧／鏡無垢，慈燈照微。空王／可託，本願同歸。其七。／天寶十一載歲次壬辰／

乙丑朔：天寶十一載四月爲『丁丑朔』，此處誤作『乙丑朔』。

撿校：此處表示特派的意思。塔使：監督建塔的使者，應是臨時所置之官稱。

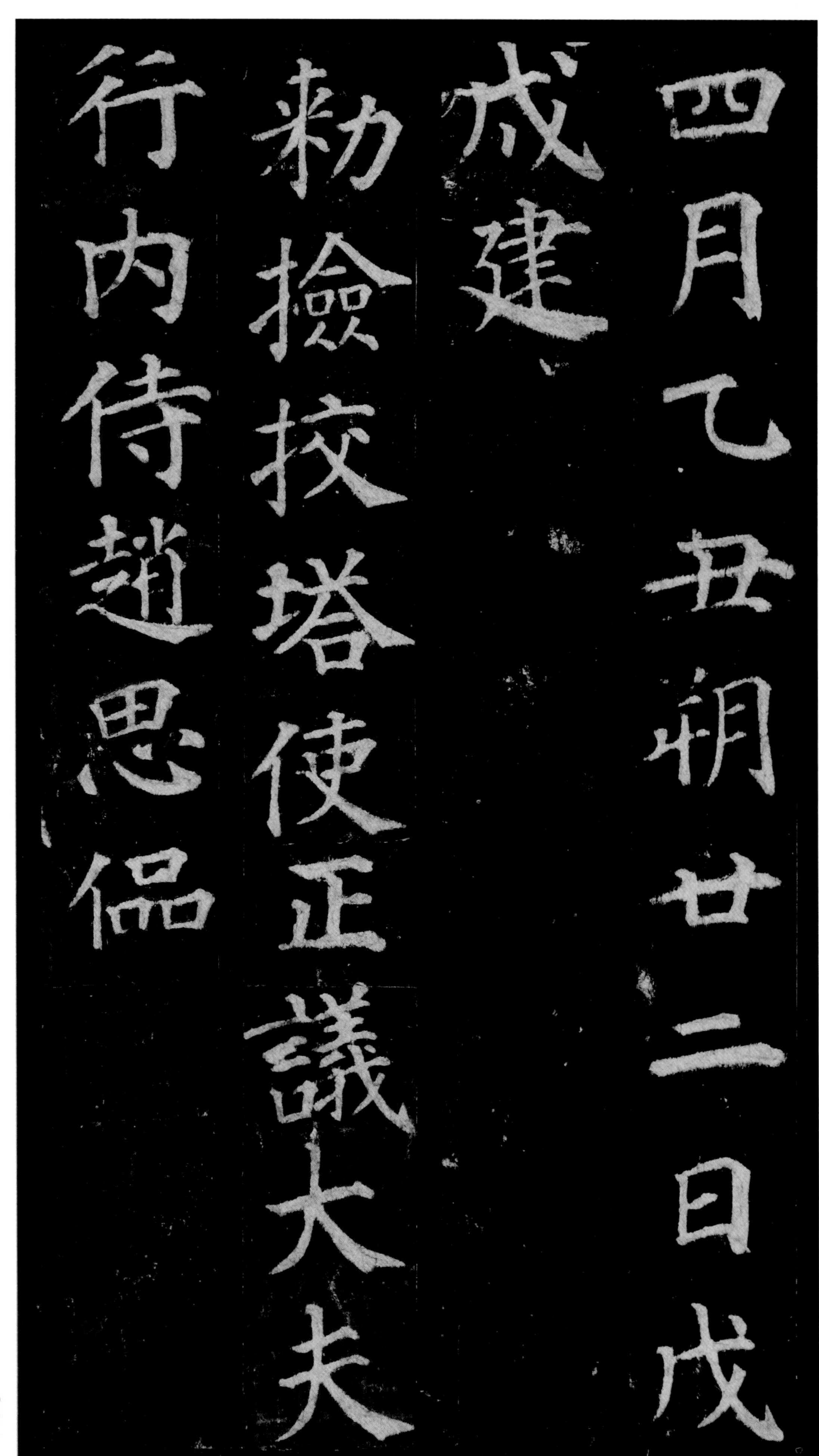

四月乙丑朔廿二日戊／戌建。／勑撿挍塔使：正議大夫、／行内侍趙思偘：／

判官：唐代節度使、觀察使等皆以判官爲僚屬。此處『判官』是指『塔使』的僚屬。亦是臨時置官。

撿校：此處的『撿校』應是表示檢查校訂碑文的意思。

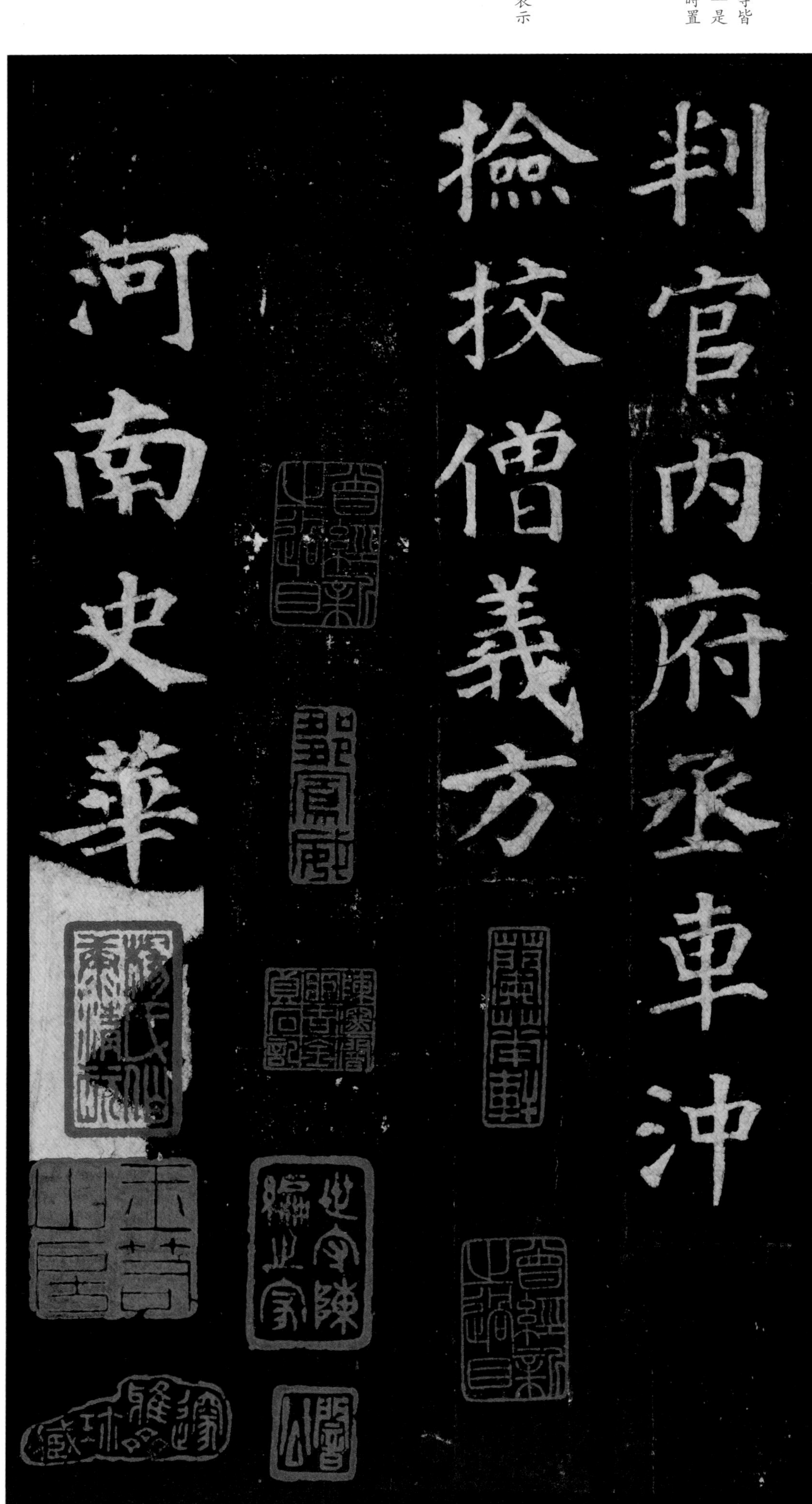

判官：內府丞車沖。／撿校：僧義方。／河南史華刻。／

錢竹汀云千福寺多寶塔感應碑康熙中碑石斷銘詞缺佛知見法為五字空王可託本願六字損歸我無空四字末行缺大夫行內侍趙思七字此本一一完好碑末刊字宋時已缺諦審是拓尚存兩筆與臨川李氏靜娛室藏宋搨本相伯仲惟李本略肥又與明初搨本相較則明搨更瘦以此攷之當在南宋及元時所拓無疑也

寶閣公祖精於鑒古或示以鄙言為河漢否 張鳴珂

歷代集評

顔真卿書如鋒絶劍摧，驚飛逸勢。

——唐 呂總

魯公書如荊卿按劍，樊噲擁盾，金剛嗔目，力士揮拳。

——《唐人書評》

魯公書雄秀獨出，一变古法，如杜子美詩，格力天縱，奄有漢魏晉宋以來風騷，後之作者，殆难復措手。

——宋 蘇軾

唐自歐虞後，能備八法者，獨徐會稽與顔太師耳。然會稽多肉，太師多骨。奇偉秀拔，奄有魏晉隋唐以來風流氣骨，回視歐虞褚薛輩，皆爲法度所窘，豈如魯公蕭然出於繩墨之外，而卒與之合哉。

——宋 黄庭堅

真卿書如項羽掛甲，樊噲排突，硬弩欲張，鐵柱特立，昂然有不可犯之色。

——宋 米芾

魯公於書，其过人处正在法度备存而端勁莊持，望之知为盛德君子。

——宋 董逌《廣川書跋》

公之書人皆知其爲可貴，至於正而不拘，莊而不險，從容法度之中，而有閑雅自得之趣，非知書者不能識之，要非言語所能喻也。

——明 方孝孺

魯公書如《東方畫像》、《家廟碑》，咸天骨遒峻，風稜射人。《多寶佛塔》結法尤整密，但貴在藏鋒，小遠大雅，不無佐史之恨耳。

——明 王世貞

魯公正書惟此碑最著，以其字比諸碑稍小，便於展玩耳。而结法视《东方讚》、《家廟碑》，似覺少逊。

——明 趙崡

魯公諸碑惟此字法差小，平易近人，故學書者無不收置一本。王元美云：貴在藏鋒，小遠大雅，不無佐史之恨，其言誠有然者。

——清 孫承澤

《多寶塔》爲魯公少時書。魯公書碑遍天下，權輿於此。此碑以前无魯公書也。《孔子廟堂碑》亦同早書，斷食來久，僅存數十字矣。此碑書法腴勁，最有態度。魯公書多以骨力健古爲工，獨此碑腴不剩肉，健不剩骨，以渾勁吐風神，以姿媚含變化，正其年少鮮花時意到書也。王元美論此碑謂貴在藏鋒，小遠大雅，不無佐史之恨。是則固然，近世學顔書者，多至枯朽骨立，以腴潤導之，正須從此覓指南車爾。

——清 王澍

《多寶塔》乃其中年之作，清妍豐潤，其脱胎右軍處，尚有行迹可求，學書者與《裴鏡民碑》絶無瓜葛也。

——清 王文治

圓美之間，自有一種風骨，斷非他人所及，至晚年則擺脱盡净，高不可攀矣。

——清 楊守敬

圖書在版編目（CIP）數據

顏真卿多寶塔碑/上海書畫出版社編.—上海：上海書畫出版社，2012.7

（中國碑帖名品）

ISBN 978-7-5479-0401-5

Ⅰ.①顏… Ⅱ.①上… Ⅲ.①楷書—碑帖—中國—唐代

Ⅳ.①J292.33

中國版本圖書館CIP數據核字（2012）第119915號

中國碑帖名品［五十八］

顏真卿多寶塔碑

本社 編

責任編輯 馮 磊

釋文注釋 俞 豐

審　　定 沈培方

責任校對 倪 凡

封面設計 王 峥

整體設計 馮 磊

技術編輯 錢勤毅

出版發行 上海書畫出版社

地址 上海市延安西路593號 200050

網址 www.shshuhua.com

E-mail shcpph@online.sh.cn

印刷 上海界龍藝術印刷有限公司

經銷 各地新華書店

開本 889×1194mm 1/12

印張 6

版次 2012年7月第1版

2021年6月第15次印刷

書號 ISBN 978-7-5479-0401-5

定價 48.00元

若有印刷、裝訂質量問題，請與承印廠聯繫